Inglés sin Barreras®

El Video-Maestro de Inglés Conversacional

1 Conociéndonos

Manual

Para información sobre
Inglés sin Barreras
en oferta especial de
Referido Preferido
1-800-305-6472
Dé el Código 03429

ISBN: 1-59172-293-4
ISBN: 978-1-59172-293-9

I705VM01

Dedicatoria

Dedicamos este curso a todos los hispanos que tomaron la iniciativa de traer el idioma inglés a sus vidas para expandir sus horizontes. Los sueños pueden convertirse en realidad. Con gran respeto y afecto,

Sus amigos de Inglés sin Barreras

Metodología	Center for Applied Linguistics
Texto	Karen Peratt, Cristina Ribeiro
	Center for Applied Linguistics
	International Media Access Inc.
Ilustraciones	Gabriela Cabrera, Linda Beckerman
Diseño gráfico	Magnus Ekelund, Efrain Barrera, bluefisch design
Guión adaptado - inglés	Karen Peratt
Guión adaptado - español	Cristina Ribeiro
Edición	Betsabé Mazzolotti, Horacio Gosparini, Yuri Murúa, Damián Quevedo, Mike Ramirez
Aprendamos viajando	Marcos Said, Pablo Moreno, Alfredo León
Aprendamos conversando	Howard Beckerman
	Producción: Heartworks International, Inc.
Música	Erich Bulling
Fotografía	Alejandro Toro, Alfredo León
Producción en línea	Miguel Rueda
Dirección - video	Loretta G. Seyer, Patricio Stark
Coordinación de proyecto	Juliet Flores, Cristina Ribeiro
Dirección de proyecto	Karen Peratt, Arleen Nakama
Directora ejecutiva	Valeria Rico
Productor ejecutivo y director creativo	José Luis Nazar

Conociéndonos

Índice

Introducción 3

Lección uno
Vocabulario 17
Clase 20
Diálogo 24

Lección dos
Vocabulario 29
Clase 32
Diálogo 36

Pronunciación
Vocabulario 40
Clase 41

Lección tres
Vocabulario 45
Clase 48
Diálogo 51

Lección cuatro
Vocabulario 55
Clase 58
Diálogo 61

Aprendamos viajando
Washington, DC 65

Aprendamos cantando
America, the Beautiful 77

Aprendamos conversando
.... 85

¡Bienvenido a Inglés sin Barreras!

"El que sabe dos idiomas vale por dos personas."
-José Luis Nazar-

¡Felicitaciones! Usted ha dado el primer paso para aprender inglés. Como en todo viaje que se hace a lo desconocido y para poder llegar al destino final de la manera más placentera posible, usted debe equiparse con un buen mapa y contar con guías experimentados que conozcan a fondo los terrenos y caminos por recorrer. Con **Inglés sin Barreras**, usted tiene en sus manos la mejor guía para aprender este idioma tan valioso y que a la vez genera tanta frustración entre los que no lo hablan. Queremos entonces que **Inglés sin Barreras** sea su compañero y amigo a lo largo de este viaje. Juntos emprenderemos una aventura que le brindará la satisfacción personal de haber cumplido con sus objetivos y que además le proporcionará todas las ventajas y oportunidades de las que goza una persona bilingüe.

Inglés sin Barreras es un programa desarrollado especialmente para las personas de habla española que desean empezar a hablar inglés en su vida cotidiana, ya sea en el hogar o en su trabajo. **Inglés sin Barreras** es el producto de una estrecha colaboración entre educadores norteamericanos y estudiantes hispanos del inglés. Con ellos se determinó cuáles eran esas necesidades de aprendizaje y se diseñaron las lecciones que les enseñasen desde las palabras y frases más elementales hasta llegar a la conversación espontánea y natural.

Inglés sin Barreras no es un programa basado en el aprendizaje de la gramática.

A diferencia de idiomas como el español o el francés, el idioma inglés no posee una institución académica encargada de vigilar y mantener la pureza y corrección del idioma. A raíz de esto, el inglés se ha convertido en un idioma flexible en constante evolución. Las palabras inglesas nacen y mueren según la necesidad de los usuarios del idioma; las estructuras cambian y las expresiones y modismos que se utilizan en cada región a menudo entran a formar parte del idioma, siendo su uso tan correcto como sus alternativas más tradicionales. En el ámbito académico, se utiliza el concepto de "inglés estándar", es decir lo que la comunidad internacional de expertos en el idioma inglés considera como inglés universal y correcto. Generalmente los cursos de inglés se limitan a enseñar inglés estándar, haciendo caso omiso de lo que el estudiante oye en la calle o el trabajo, con la consiguiente frustración que esto puede generar. En **Inglés sin Barreras** hemos hecho un esfuerzo especial por enseñarle un inglés práctico y cotidiano que le permita salir a la calle y desenvolverse en inglés desde el primer momento. **Inglés sin Barreras**, por lo tanto, no es un programa basado en la gramática o una serie de ejercicios lingüísticos. Es una experiencia práctica e informativa que le ayudará a entender y hablar inglés en su vida diaria.

Sin embargo, para aquellos que quisieran aprender y entender mejor las estructuras gramaticales del inglés, les ofrecemos una instancia de consulta en el compendio gramatical <u>Resumen práctico de la gramática inglesa</u>. Es una guía fácil de seguir donde usted puede aclarar dudas y comprender las diferencias entre el nuevo idioma y su lengua nativa, ya que está explicado paso a paso en español. Más adelante, le entregaremos más información sobre cómo usar esta guía gramatical.

Los alumnos en los DVDs de **Inglés sin Barreras** son como usted.

Algunos de ellos no hablan nada de inglés y otros hablan un poco, pero todos ellos, como usted, desean hablar más y mejor inglés. Ellos saben que cometerán errores al principio, pero eso no importa. Lo importante es que sigan hablando y que usted lo haga también. Deje a un lado la vergüenza y poco a poco irá notando que sus errores van disminuyendo.

Inglés sin Barreras consta de 12 volúmenes.* Los primeros 10 volúmenes contienen la misma estructura de contenidos, los cuales están basados en temas o aspectos de la vida cotidiana. Le recomendamos también los volúmenes 11 y 12 ya que son un excelente complemento al aprendizaje del idioma. Cada volumen contiene:

- **1 DVD**
- **1 Manual**
- **1 Cuaderno de ejercicios**
- **1 Disco Compacto (CD)**

*El curso compacto de **Inglés sin Barreras** dispone de seis volúmenes.

Veamos ahora en detalle las secciones de **Inglés sin Barreras**.

Las lecciones

Los volúmenes 1 a 10 contienen cuatro lecciones cada uno. Estas cuatro lecciones se dividen en los segmentos siguientes:

1 Vocabulario

Esta sección contiene las palabras y frases que usted debe aprender con respecto al tema de la lección. Continúe usando la sección de vocabulario como referencia mientras estudia las otras secciones en su Manual y su Cuaderno. Tenga en cuenta que esta sección no es como un diccionario que contiene todos los equivalentes posibles para cada palabra en inglés. Sólo contiene aquellas traducciones al español que son apropiadas para la lección.

Otro elemento de ayuda para el aprendizaje del vocabulario lo constituyen las Tarjetas de vocabulario que usted encontrará en su Cuaderno de ejercicios. Estas tarjetas contienen palabras, frases, y oraciones relacionadas con las lecciones de cada volumen. Tienen la versión en inglés al frente y su traducción en el reverso. Usted puede cortarlas y organizarlas ya sea en una carpeta, una caja, o de la manera que usted crea más conveniente. Ellas le ayudarán con la memorización y retención necesaria para que luego usted use estas palabras y frases a medida que avanza en su práctica del inglés. Aumentar diariamente su vocabulario le dará más confianza para expresarse, aún cuando usted esté en una etapa inicial de aprendizaje y cometa algunos errores gramaticales al hablar. Su dominio del vocabulario le ayudará a progresar más rápidamente.

2 Clase

Esta sección es una clase virtual donde los estudiantes practican el vocabulario de cada lección en el contexto de frases y conversaciones en inglés. Escuchar a sus maestros le acostumbrará a los sonidos del inglés y cada vez se le hará más fácil pronunciarlos. Compórtese como si fuera un participante más. Cada vez que los maestros pidan a los alumnos que repitan una palabra, frase u oración, usted debe repetirla también. Cuando pidan a los alumnos que respondan o pregunten algo, usted debe hacerlo como si estuviera en la clase. En los manuales, encontrará un resumen de este segmento, así como su traducción al español.

3 Diálogo

Esta sección contiene un diálogo o conversación entre personas de habla inglesa en la que se emplea el vocabulario y estructuras del material de las lecciones que acaba de estudiar. Cuando vea el diálogo, debería estar lo suficientemente familiarizado con el material como para comprenderlo, pero si necesita ayuda, su manual incluye la transcripción y su traducción al español.

Vea esta sección y asegúrese de que comprende y domina todas las palabras y frases. Participe contestando a las preguntas y comentarios de los actores. Luego, imite su pronunciación e inflexiones en voz alta y trate de practicar estos diálogos con un amigo o familiar que ya sepa inglés o que también lo esté aprendiendo.

Inglés en acción

A través de las páginas de su Manual, usted encontrará ejercicios, temas, y material específico que puede ser llevado directamente a la práctica cotidiana. Esto es lo que llamamos "inglés en acción". Por ejemplo, si usted aprendió a decir la hora, la recomendación que usted encontrará en su Manual es: "cuando esté paseando por un centro comercial, fíjese en los relojes y practique diciendo la hora". Es decir, convierta el inglés en parte de su vida diaria. Una de las mayores desventajas que usted puede tener a la hora de aprender inglés es la timidez o la vergüenza a hablar en público. No tema cometer errores y olvídese de su sentido del ridículo. En las tiendas, pida las cosas en inglés. Lea los letreros de la calle e intente entender su significado. Vea la televisión, escuche la radio y lea revistas y diarios en inglés. Todos los días, usted se encontrará con un sinfín de oportunidades para escuchar, hablar y escribir inglés. No huya de ellas. No son el enemigo, sino más bien un aliado poderoso que le ayudará a aprender inglés en mucho menos tiempo del que se imagina.

Lección de pronunciación (Manual y DVD)

Los volúmenes 1 a 10 incluyen además una sección de pronunciación cuyo contenido está basado en la correspondiente lección de vocabulario y la clase. Aprender a pronunciar correctamente los sonidos de un nuevo idioma es un verdadero desafío. Las lecciones de pronunciación son de importancia crítica para mejorar su acento cuando hable en inglés, ya que muchos sonidos e inflexiones de este idioma no existen en español.

Aprendamos viajando (Manual, DVD y CD)

En cada uno de los primeros diez volúmenes de **Inglés sin Barreras** le presentamos un documental filmado en una ciudad de los Estados Unidos. El vocabulario que se utiliza en cada lugar ha sido cuidadosamente seleccionado para ir aumentando paulatinamente su dominio del idioma.

En los manuales, encontrará una transcripción del segmento, así como su traducción al español. La introducción a Aprendamos viajando, que usted encontrará en los volúmenes 1 y 7, contiene instrucciones más detalladas que le indicarán como estudiar con esta sección. Cada CD también contiene el material audio de esta sección.

El objetivo de estas secciones no es que comprenda la totalidad de la narración desde un primer momento, sino que se acostumbre a los sonidos, inflexiones y estructuras de las oraciones del idioma inglés. Al principio, sólo entenderá palabras sueltas, pero poco a poco logrará comprender frases enteras.

Aprendamos cantando (Manual y DVD)
Como ya indicamos anteriormente, el idioma inglés es mucho más que un conjunto de palabras y reglas gramaticales, y donde más se hace aparente es en el lenguaje hablado. El inglés informal contiene expresiones, palabras y frases que no se encuentran en los diccionarios y que resultan esenciales para comunicarse. Un buen ejemplo de ello lo ofrecen las canciones, pues están repletas de modismos, contracciones, abreviaturas y expresiones que sólo se utilizan en el inglés coloquial.

Las canciones que integran esta sección se han seleccionado por su riqueza en este tipo de expresiones. Una vez que haya analizado su contenido y aprendido a cantarlas, no sólo habrá sacado a relucir el artista que hay en su interior, sino que además dominará palabras y frases de uso diario en el inglés hablado que generalmente no se encuentran en el inglés formal escrito, ya sea de un diccionario o texto.

Aprendamos conversando (Manual y CD)

Para que el aprendizaje sea constante y efectivo, **Inglés sin Barreras** debe estar siempre con usted. El CD contiene material auditivo para desarrollar habilidades de comprensión y de práctica oral llamado "Aprendamos conversando", con el cual usted podrá practicar aún cuando no le sea posible leer o mirar la televisión. Aunque las actividades de este CD se pueden hacer sin necesidad de manuales o cuadernos, éstas le permitirán repasar y expandir el uso cotidiano del vocabulario, las estructuras, los diálogos, y la pronunciación demostrada en el video. "Aprendamos conversando" agrega a **Inglés sin Barreras** una nueva dimensión, ya que usted podrá utilizar su sentido auditivo para seguir adquiriendo las habilidades que le permitirán dominar mejor el inglés. En cada CD, encontrará las instrucciones necesarias para practicar el idioma hablado; sin embargo, y si lo desea, también podrá hacer los ejercicios incluidos en los cuadernos.

Preguntas y respuestas (DVD)

En la vida diaria nos encontramos a veces con expresiones, dichos, abreviaturas o palabras cuyo significado no se encuentra fácilmente en los diccionarios. Recibimos muchas cartas de nuestros clientes por este motivo. Queremos compartir sus experiencias con todos ustedes, ya que para dominar el inglés, es indispensable comprender y utilizar estas expresiones. Los DVDs contienen estas preguntas con sus correspondientes respuestas y explicaciones.

Ejercicios interactivos (DVD)

Al final de cada lección, usted encontrará una sección con ejercicios interactivos que simulan actividades de la vida diaria y está basada en el material correspondiente a ese volumen. Le recomendamos altamente realizar estos ejercicios, puesto que le permitirán practicar inglés sin la presión que podría significar el hablarlo en situaciones de la vida real, especialmente en una etapa inicial.

Las secciones de Inglés sin Barreras

El componente principal de **Inglés sin Barreras** son los DVDs. Los manuales y cuadernos de ejercicios deben usarse como un refuerzo para entender y recordar las lecciones de los DVDs. Recuerde que los discos compactos (CDs) le permiten tener acceso al programa todo el tiempo, ya que usted puede seguir estudiando aún cuando no tenga acceso a un reproductor de DVD, pero sí pueda dedicarle unos minutos para seguir escuchando y practicando inglés. Por ejemplo, una forma excelente de estudiar con los CDs es cuando conduce su auto.

No recomendamos establecer planes rigurosos, ya que preferimos que usted mismo se trace su propio plan, uno que sea adecuado a su horario, su forma de vida y su ritmo de aprendizaje. Aprenderá mucho más si estudia 15 minutos al día que si se somete de vez en cuando a largas sesiones. Sin embargo, a modo de sugerencia, le recomendamos que siga los siguientes pasos:

1   Antes de empezar un nuevo volumen y como una forma de monitorear su progreso, asegúrese de tomar el examen inicial que encontrará al comienzo de su Cuaderno de ejercicios.

2   Familiarícese con el contenido. Vea todo el material correspondiente a la sección que desea aprender para que así tenga una idea general de su contenido.

3   Use el DVD. Vea y escuche la lección o un segmento de la lección por lo menos dos veces, y asegúrese de practicar lo aprendido utilizando las actividades interactivas.

4   Consulte su Manual. Vuelva a repasar el mismo segmento, esta vez consultando las páginas correspondientes de su Manual.

5   Preste atención al vocabulario. Saber y utilizar cada día palabras nuevas en inglés le dará confianza en su progreso. Trate de memorizar el vocabulario aprendido usando las tarjetas que se insertan en su Cuaderno de ejercicios.

6   Practique a medida que vaya aprendiendo inglés. Los ejercicios de "inglés en acción" le ayudarán a practicar y a reforzar lo aprendido. Haga un esfuerzo por seguir estos consejos y hablar con sus amigos o compañeros de trabajo y así practicar la pronunciación y aplicar lo que ha aprendido en la vida real. Hablar en

inglés debe ser parte de su vida diaria, y mientras más lo haga, más seguro se sentirá en su nueva identidad de persona bilingüe.

7   Consulte el <u>Resumen práctico de gramática</u>. A medida que avance en la complejidad del nuevo idioma y si desea aprender más sobre estructuras gramaticales o entender mejor los ejercicios, consulte este libro. Usted encontrará en ciertas páginas de su Manual el símbolo 📘 que significa "referencia gramatical", con el número de página correspondiente al Resumen que le ayudará con una estructura o punto gramatical específico relacionado con la lección que usted está estudiando, y donde, además de explicarle el punto, le ofrecemos una variedad de ejercicios para reforzar su aprendizaje.

8   Al acabar cada lección, complete las actividades correspondientes en su Cuaderno de ejercicios. Luego, verifique que respondió correctamente en la sección de respuestas. Si falló demasiadas preguntas, quizás sea buena idea repasar la lección con la ayuda de su Manual y video.

9   En aquellos volúmenes que incluyen un examen final, usted encontrará información al término de su Cuaderno de ejercicios sobre qué hacer y cómo enviarnos este examen para que nuestro Servicio de profesores por teléfono puedan evaluar su progreso. Al completar el curso y cuando sienta que ya domina todos sus contenidos, puede tomar una prueba oral. Para más información sobre esta prueba oral, por favor contacte nuestro Servicio de profesores por teléfono.

10 Si usted completó con éxito los primeros diez volúmenes, continúe el perfeccionamiento del idioma con los Volúmenes 11 y 12, los cuales le serán de ayuda incalculable para lograr el éxito que tanto desea para usted y su familia en los Estados Unidos.

Otro recurso para reforzar su aprendizaje del inglés

ISBonline (Inglés sin Barreras en línea)
Este es un nuevo e interesante servicio de **Inglés sin Barreras**, al cual usted puede acceder a través de la página de Internet: *www.isbonline.com* y que estamos seguros encontrará de gran ayuda en su empeño por aprender la lengua y la cultura de los Estados Unidos. Es fácil, divertido y pone a su disposición material adicional práctico de aprendizaje, como lecciones, exámenes, charlas, diccionario y ayuda personalizada. En *Ayuda*, encontrará direcciones de Internet y números gratuitos de asistencia. Las charlas son guiadas por personal del servicio de Profesores por teléfono en dos horarios. Por favor visite nuestra página de Internet para averiguar los horarios de estas charlas. Dentro de la página Lecciones, encontrará los siguientes elementos de aprendizaje:

- la palabra del día
- frase de la semana
- errores más frecuentes
- frase comercial de la semana
- modismo de la semana
- lección de gramática
- evaluaciones o exámenes

Para registrarse, vaya a su página de Internet y escriba en la barra de dirección: *www.isbonline.com* Una vez que ingrese a este sitio, busque el vínculo *Presione Aquí*, que lo llevará al Registro del Usuario. Escriba la información que se le solicita y haga clic en *Enviar*. Recibirá luego un correo electrónico con un nombre que le servirá de identificación y una contraseña para tener acceso a esta página. Así, cada vez que quiera visitarla, solo tiene que ingresar su identificación y contraseña.

Nota final

Inglés sin Barreras está en constante evolución. Nuestro propósito es ofrecer el mejor producto con el contenido más práctico y adecuado a las necesidades de nuestros clientes. Sus opiniones, comentarios y sugerencias son, por lo tanto, sumamente valiosos y se utilizarán para mejorar futuras ediciones del curso. No dude en contactarnos y contarnos sobre sus experiencias. Simplemente escríbanos a la siguiente dirección, o llámenos y déjenos su mensaje al 1-800-320-9844.

Testimonios
Oficina de servicio al cliente
1140 North 1430 West
Orem, UT 84057

testimonialisb@lexiconmarketing.com

¡Le deseamos mucho éxito!

Lección

1

Le recomendamos que lea las palabras de vocabulario antes de ver el video correspondiente a esta lección. Éstas son las palabras más importantes de esta lección.

Welcome.	*Bienvenido(a).*
	Bienvenidos(as).
Goals for the Class	*Objetivos de la clase*
Hello.	*Hola.*
Hi.	*Hola.*
name	*nombre*
too	*también*
what	*qué, cuál, cuáles*
how	*cómo*
(to) greet	*saludar*
(to) meet	*conocer*
Good!	*¡Bien!*
Great!	*¡Fantástico! ¡Estupendo!*
Very good!	*¡Muy bien!*
Good morning.	*Buenos días.*
Good afternoon.	*Buenas tardes.*
Good evening.	*Buenas noches.*
	(al saludar)
Good night.	*Buenas noches.*
	(al despedirse)
Goodbye.	*Adiós.*
See you tomorrow.	*Hasta mañana.*

Más vocabulario

for example	*por ejemplo*
That's all for now.	*Eso es todo por ahora.*

Argentina	*Argentina*
Chile	*Chile*
Colombia	*Colombia*
Costa Rica	*Costa Rica*
Cuba	*Cuba*
El Salvador	*El Salvador*
Guatemala	*Guatemala*
Mexico	*México*
Nicaragua	*Nicaragua*
Peru	*Perú*
Spain	*España*
United States	*Estados Unidos*
Uruguay	*Uruguay*

Elementos esenciales

**Esta sección destaca los elementos básicos de esta lección.
Lea detenidamente lo que incluimos en ella.**

I'm = I am	*yo soy, yo estoy*
what's = what is	*cuál es*
name's = name is	*nombre es*

contracciones, pgs. 54, 55

Aprenda y practique

Le recomendamos que aprenda las expresiones y oraciones incluidas en esta sección. Practique lo aprendido cada día.

How are you?	*¿Cómo está usted? ¿Cómo estás?*
I am fine.	*Estoy bien.*
Fine.	*Bien.*
What is your name?	*¿Cómo se llama usted ? ¿Cómo te llamas?*
My name is _____.	*Mi nombre es_____. Me llamo _____.*
Where are you from?	*¿De dónde es usted? ¿De dónde eres?*
I am from _____.	*Soy de _____.*
Nice to meet you.	*Encantado(a) de conocerle(a).*
	Es un placer conocerle(a).
Nice to meet you, too.	*Yo también estoy encantado(a) de conocerle(a).*
	Para mí también es un placer conocerle(a).
Goodbye.	*Adiós.*
well, See you tomorrow.	*Hasta mañana.*

A p u n t e s

Presentaciones

Hello.	My name is Juan.
Hola.	*Me llamo Juan.*

Hi.	My name is Imelda.
Hola.	*Me llamo Imelda.*

Nombre y apellidos

En los Estados Unidos, las personas suelen presentarse dando su nombre y apellido. Dicen, por ejemplo, **Ann Smith**.

En situaciones informales, uno puede presentarse usando únicamente el nombre.

> Hi, my name is Juan.
> *Hola, me llamo Juan.*

En situaciones formales, se debe dar el nombre y el apellido.

> Hello, my name is Juan Hernández.
> *Hola, me llamo Juan Hernández.*

En caso de duda, siempre es mejor decir el nombre y el apellido.

Nice to meet you. My name is Imelda Interiano.
Es un placer conocerle. Me llamo Imelda Interiano.

Le recomendamos que se presente a sus vecinos y compañeros de trabajo en inglés.

Una conversación

-Good evening. How are you?
Buenas noches. ¿Cómo está usted?
-Fine. How are you?
Bien. ¿Cómo está usted?
-I'm fine, too.
Yo también estoy bien.
-My name's Juan. What's your name?
Me llamo Juan. ¿Cómo se llama usted?
-My name is Imelda.
I'm from Guatemala. Where are you from?
Me llamo Imelda.
Soy de Guatemala. ¿De dónde es usted?
-I am from Mexico.
It's nice to meet you.
Soy de México.
Encantado de conocerla.
-Nice to meet you, too. Goodbye.
Yo también estoy encantada de conocerle. Adiós.
-Goodbye.
Adiós.

Cuando nos presentamos a una persona de otro país, podemos decir:

I'm from Chile.	*Soy de Chile o soy chileno.*
I'm from Santiago.	*Soy de Santiago.*
I'm from Santiago, Chile.	*Soy de Santiago, Chile.*

Si nos presentamos a una persona de nuestro propio país, sólo tenemos que mencionar la ciudad:

I'm from Santiago.	*Soy de Santiago.*

Saludos

En inglés, se suele comenzar una conversación diciendo **hello** o **hi**. Ambas palabras significan "hola".
Pero hay otras formas de iniciar una conversación o de saludar a una persona.

Good morning.
Buenos días.

Good afternoon.
Buenas tardes.

Good evening.
Buenas noches.

Good morning, **good afternoon** y **good evening** son expresiones que pueden usarse en cualquier circunstancia, ya sea formal o informal.

Recuerde:
La expresión **Good night** sólo se utiliza al despedirse de alguien, al terminar una conversación.

Éste es el texto completo del diálogo incluido en el video. Usted hará el papel del espectador (**viewer**). Si le hacen una pregunta personal, conteste usando información personal. Tenga en cuenta que las respuestas del espectador que le proporcionamos no son las únicas respuestas correctas.

Presentaciones

Leslie	Hello. *Hola.*
Bill	How are you? *¿Cómo está usted?*
Leslie	I'm fine. And you? *Estoy bien. ¿Y usted?*
Bill	I'm fine, too. My name's Bill Gordon. *Yo también estoy bien. Me llamo Bill Gordon.*
Leslie	Nice to meet you, Bill. *Encantada de conocerle, Bill.*
Bill	What's your name? *¿Cómo se llama usted?*
Leslie	My name's Leslie, Leslie Williams. *Me llamo Leslie, Leslie Williams.*

Bill   It's nice to meet you, Leslie.
     Es un placer conocerla, Leslie.

Leslie Well, see you later.
     Bueno, hasta luego.

Bill   Goodbye.
     Adiós.
     Oh, hi. What's your name?
     Oh, hola. ¿Cómo se llama usted?

Viewer <u>My name is   .</u>
(Usted) *Me llamo   .*

Bill   It's nice to meet you.
     Encantado de conocerle(a).

Viewer <u>Nice to meet you, too.</u>
(Usted) *Yo también estoy encantado(a) de conocerle.*

Bill   Well, goodbye.
     Bueno, adiós.

Viewer <u>Goodbye.</u>
(Usted) *Adiós.*

25

Lección

2

Le recomendamos que lea las palabras de vocabulario antes de ver el video correspondiente a esta lección. Éstas son las palabras más importantes de esta lección.

conversation	*conversación*
(to) end a conversation	*terminar una conversación*
(to) have a conversation	*mantener una conversación*
Excellent!	*¡Excelente!*
Bye.	*Adiós.*

Elementos esenciales

Esta sección destaca los elementos básicos de esta lección. Lea detenidamente lo que incluimos en ella.

How's = How is

How's it going? = How is it going?
¿Qué tal?

'Night. = Good night.
Buenas noches.

'Nice talking to you. = It was nice talking to you.
Fue un placer hablar con usted.
Fue un placer hablar contigo.

Not bad. = I'm not bad.
No me puedo quejar.

And your name? = And what's your name?
¿Y cómo se llama usted? ¿Y cómo te llamas?

Bye. = Goodbye.
Adiós.

Le recomendamos que vaya a un lugar conocido (supermercado, librería, restaurante favorito) y practique estas frases con un cajero/a, mesero/a u otras personas con quienes usted se sienta cómodo/a.

Aprenda y practique

Le recomendamos que aprenda las expresiones y oraciones incluidas en esta sección. Practique lo aprendido cada día.

How are you?
  I'm fine. How about you?
I'm fine, too.
	¿Cómo estás?
	  Estoy bien. ¿Y tú?
	Yo también estoy bien.

How are you doing?	*¿Cómo te va?*

How's it going?
  I'm not bad.
	¿Qué tal?
	  No me puedo quejar.

What's happening?
  Not much.
	¿Qué hay de nuevo?
	  No mucho.

It was nice talking to you.
  It was nice talking to you, too.
	Fue un placer hablar con usted.
	  Para mí también fue un placer hablar con usted.

What's cooking?

Significa "¿qué hay de nuevo?"

— Hello Rick! What's cooking?
— Not much. How about you?

— ¡Hola Rick! ¿Qué hay de nuevo?
— No mucho. ¿Y tú?

Apuntes

Cómo ser cortés en inglés

La pregunta **How are you?** (¿Cómo está usted?) es sólo una forma cortés de comenzar una conversación. La persona que hace esta pregunta no espera que le contemos en detalle cómo nos sentimos.

How are you?   I'm fine. How about you?
¿Cómo está usted?   *Estoy bien. ¿Y usted?*

I'm terrible.   Oh.
Estoy muy mal.   *Oh.*

Lo apropiado en este caso es contestar **I'm fine** (estoy bien). Una respuesta negativa tal como **terrible** (muy mal) resultaría descortés. Aun cuando se esté conversando con un amigo cercano, hay que tener cuidado con la información que se da. Cada vez que escuche la pregunta **How are you?**, dé una respuesta sencilla.

How are you?
¿Cómo está usted?
I'm fine, too.
Yo también estoy bien.

I'm fine. How about you?
Estoy bien. ¿Y usted?

Mañana, practique este pequeño diálogo y salude a sus amigos y conocidos usando la pregunta **How are you?**

Las preguntas de la columna de la izquierda le permiten comenzar una conversación. Si alguien le hace una de estas preguntas, prepárese para dar la respuesta correcta. Fíjese en las respuestas indicadas a continuación.

What's going on?	Not much.	A lot.	Too much.
¿Qué pasa?	*No mucho.*	*Mucho.*	*Demasiado.*
What's happening?	Not much.	A lot.	Too much.
¿Qué hay de nuevo?	*No mucho.*	*Mucho.*	*Demasiado.*
What's new?	Not much.	A lot.	Too much.
¿Qué hay de nuevo?	*No mucho.*	*Mucho.*	*Demasiado.*
How's it going?	(I'm) not bad.	OK.	Great!
¿Qué tal?	*No me puedo quejar.*	*Bien.*	*¡Muy bien!*
How are you doing?	(I'm) not bad.	OK.	Great!
¿Cómo le va?	*No me puedo quejar.*	*Bien.*	*¡Muy bien!*

Salude a un amigo/a, con el cual se siente cómodo/a, practicando estas frases. Recuerde que estas expresiones son coloquiales y solamente se deben usar con gente conocida.

expresiones de cantidad, pg. 27

Cómo despedirse

En inglés, hay varias expresiones que se usan para despedirse de alguien.

Expresiones formales

Good night.	*Buenas noches.*
Goodbye.	*Adiós.*
See you tomorrow.	*Hasta mañana.*
See you later.	*Hasta luego.*

It was nice talking to you.
Fue un placer hablar con usted.

Expresiones informales

'Nice talking to you.
Fue un placer hablar contigo.

'Later.	*Hasta luego.*
Bye.	*Adiós.*
'Night.	*Buenas noches.*

Recuerde: **good night** y **'night** se usan para despedirse de alguien.

Éste es el texto completo del diálogo incluido en el video. Usted hará el papel del espectador (**viewer**). Si le hacen una pregunta personal, conteste usando información personal. Tenga en cuenta que las respuestas del espectador que le proporcionamos no son las únicas respuestas correctas.

Un encuentro en la oficina

Amy	Hello.
	Hola.
Tom	Good evening.
	Buenas noches.
Amy	How are you?
	¿Cómo está usted?
Tom	I'm fine. How are you?
	Estoy bien. ¿Cómo está usted?
Amy	Fine.
	Bien.
Tom	My name's Tom. What's your name?
	Me llamo Tom. ¿Cómo se llama usted?
Amy	My name's Amy, Amy Gordon. I'm from Miami.
	Me llamo Amy, Amy Gordon. Soy de Miami.
Tom	I'm from Chicago. Nice to meet you.
	Yo soy de Chicago. Encantado de conocerla.

Amy	Nice to meet you, too. *Yo también estoy encantada de conocerle.* Oh, hi. What's your name? *Oh, hola. ¿Cómo se llama usted?*

Viewer *(Usted)*	My name is_____. *Me llamo_____.*

Amy	Where are you from? *¿De dónde es usted?*

Viewer *(Usted)*	I'm from_____. *Soy de_____.*

Amy	It's nice to meet you. *Es un placer conocerle(a).*

Viewer *(Usted)*	Nice to meet you, too. *Para mí también es un placer conocerla.*

Amy	Good night, Tom. *Buenas noches, Tom.*

Tom	Good night, Amy. See you tomorrow. *Buenas noches, Amy. Hasta mañana.*

Tom	Good night. See you tomorrow. *Buenas noches. Hasta mañana.*

Viewer *(Usted)*	Good night. *Buenas noches.*

Lección

P

Le recomendamos que lea las palabras de vocabulario antes de ver el video correspondiente a esta lección. Éstas son las palabras más importantes de esta lección.

A a	N n
B b	O o
C c	P p
D d	Q q
E e	R r
F f	S s
G g	T t
H h	U u
I i	V v
J j	W w
K k	X x
L l	Y y
M m	Z z

English	*inglés*
alphabet	*abecedario*
letter	*letra*
Please spell it.	*Deletréelo, por favor.*

Apuntes

Escriba sus datos personales (nombre, dirección, lugar de nacimiento...) en inglés. Léalos en voz alta y luego deletree las palabras. Cuando haya practicado este ejercicio varias veces, repítalo delante de un amigo que hable inglés y pregúntele si puede entender lo que usted está diciendo.

_____

_____

_____

_____

_____

spell it out

Aunque se traduce "deletrear", equivale a dar detalles o explicar detalladamente.

I understand. You don't have to spell it out for me.

Lo comprendo. No tiene que explicármelo en detalle.

Lección

3

Le recomendamos que lea las palabras de vocabulario antes de ver el video correspondiente a esta lección. Éstas son las palabras más importantes de esta lección.

family	*familia*
children	*niños, hijos*
daughter	*hija*
son	*hijo*
parents	*padres*
father	*padre*
mother	*madre*
grandparents	*abuelos*
grandfather	*abuelo*
grandmother	*abuela*
my	*mi(s)*
your	*tu(s), su(s) (de usted)*
his	*su(s) (de él)*
her	*su(s) (de ella)*
its	*su(s) (de ello)*
our	*nuestro(a), nuestros(as)*
their	*su(s) (de ellos, de ellas)*
your	*su(s) (de ustedes)*

Más vocabulario

and	*y*
this	*este, esta, esto*
that	*ese, esa, eso,*
	aquel, aquella, aquello
book	*libro*
today	*hoy*
now	*ahora*
Yeah.	*Sí.*
Hey!	*¡Eh!*
Wonderful!	*¡Maravilloso!*
OK.	*De acuerdo.*
Thank you.	*Gracias.*
Yes.	*Sí.*
No.	*No.*
(to) repeat	*repetir*
(to) review	*revisar, repasar*
(to) talk about	*hablar de*
(to) use	*utilizar, usar*

Elementos esenciales

Esta sección destaca los elementos básicos de esta lección. Lea detenidamente lo que incluimos en ella.

Juan is from Mexico. Ana is from Mexico, too.
Juan es de México. Ana también es de México.

my book	*mi libro*
your book	*tu libro, su libro*
his book	*su libro*
her book	*su libro*
its book	*su libro*
our book	*nuestro libro*
your book	*su libro*
their book	*su libro*

Aprenda y practique

Le recomendamos que aprenda las expresiones y oraciones incluidas en esta sección. Practique lo aprendido cada día.

This is a family.	*Ésta es una familia.*
This is my father.	*Éste es mi padre.*
This is your mother.	*Ésta es tu madre. Ésta es su madre.*
This is his son.	*Éste es su hijo.*
This is her daughter.	*Ésta es su hija.*
This is your grandfather.	*Éste es tu abuelo. Éste es su abuelo.*
This is our grandmother.	*Ésta es nuestra abuela.*
These are their parents.	*Estos son sus padres.*

adjetivos posesivos, pg. 29
pronombres demostrativos, pg. 20

Apuntes

Posesión o pertenencia

Hay ciertas palabras que nos indican a quién pertenecen las cosas.

my	*mi(s)*
your	*tu(s), su(s)*
his	*su(s)*
her	*su(s)*
its	*su(s)*
our	*nuestro(s), nuestra(s)*
their	*su(s)*

 Recuerde: **Its** (su) se refiere únicamente a cosas o animales, como por ejemplo un árbol o un perro, pero nunca a una persona.

En inglés, hay otras maneras de señalar la pertenencia o posesión, de determinar quién es el dueño o propietario de una cosa. Se añade un apóstrofo y una **s** a la palabra que representa a la persona o al nombre de la persona. Veamos algunos ejemplos.

your father's book	*el libro de tu padre*
Marta's book	*el libro de Marta*
my mother's book	*el libro de mi madre*

La familia

Los nombres siguientes también describen a los miembros de la familia.

husband	*esposo*
wife	*esposa*
granddaughter	*nieta*
grandson	*nieto*
mother-in-law	*suegra*
father-in-law	*suegro*

En inglés, se suele usar diminutivos cariñosos para ciertos miembros de la familia.

mother	=	mom	=	mommy
madre		*mamá*		*mami*
father	=	dad	=	daddy
padre		*papá*		*papi*
grandmother	=	grandma	=	*abuela*
grandfather	=	grandpa	=	*abuelo*

Los niños pequeños suelen decir **mommy** y **daddy**. Al crecer, usan las palabras **mom** y **dad**.

Fíjese en una foto de familia y practique estas palabras señalando a sus familiares y asignándoles el nombre correspondiente.

adjetivos posesivos, pg. 29

"This" y "That"

La palabra **this** (esto, esta, este) se usa para señalar o indicar algo o a alguien que está cerca. Cuando nos referimos a un objeto o a una persona que no está cerca, decimos **that** (ese, eso, esa, aquel, aquella, aquello).

This is my book.
Éste es mi libro.

That is my book.
Ése es mi libro.

I give you my word.

Se usa cuando alguien da su palabra de honor. Te doy mi palabra. Te lo prometo.

— Will you pay me tomorrow?
— Yes. I give you my word.

— *¿Vas a pagarme mañana?*
— *Sí. Te doy mi palabra.*

pronombres demostrativos, pg. 20

Éste es el texto completo del diálogo incluido en el video. Usted hará el papel del espectador (**viewer**). Si le hacen una pregunta personal, conteste usando información personal. Tenga en cuenta que las respuestas del espectador que le proporcionamos no son las únicas respuestas correctas.

Jugando en el parque

| Ann | Hey, Robert! |
| | *¡Eh, Robert!* |

| Dan | Excuse me. May I sit here? |
| | *Perdone. ¿Puedo sentarme aquí?* |

| Ann | Sure. |
| | *Desde luego.* |

| Dan | Is he your son? |
| | *¿Es su hijo?* |

| **Viewer** (*Usted*) | No, he isn't. |
| | *No.* |

| Dan | Is Robert your son? |
| | *¿Robert es su hijo?* |

| Ann | Yes, he is. My name's Ann, Ann Garr. |
| | *Sí. Me llamo Ann, Ann Garr.* |

51

Dan	I'm Dan Martin.
	Soy Dan Martin.
	Hi. My name's Dan Martin.
	Hola. Me llamo Dan Martin.
Viewer	My name's _____.
(Usted)	*Me llamo_____.*
Dan	It's nice to meet you.
	Es un placer conocerla.
Ann	It's nice to meet you, too.
	Es un placer conocerle a usted también.
Dan	Hey, Kathy.
	Eh, Kathy.
Ann	Is Kathy your daughter?
	¿Kathy es su hija?
Dan	Yes, she is.
	Sí.
Kathy	Hi, Dad!
	¡Hola, papá!
Robert	Hi, Mom!
	¡Hola, mamá!

Lección

4

4 Notas

Le recomendamos que lea las palabras de vocabulario antes de ver el video correspondiente a esta lección. Éstas son las palabras más importantes de esta lección.

(to) be	*ser, estar*
am	*soy, estoy*
is	*es, está*
are	*eres, es, somos, son*
	estás, está, estamos, están
family tree	*árbol genealógico*
brother	*hermano*
sister	*hermana*
I	*yo*
you	*tú, usted*
he	*él*
she	*ella*
you	*ustedes*
it	*ello*
we	*nosotros*
they	*ellos, ellas*

Más vocabulario

aunt	*tía*
uncle	*tío*
niece	*sobrina*
nephew	*sobrino*
cousin	*primo, prima*
I'm OK.	*Estoy bien.*
He is nice looking.	*Él es atractivo.*
I guess so.	*Supongo que sí.*
All right.	*De acuerdo.*

Elementos esenciales

**Esta sección destaca los elementos básicos de esta lección.
Lea detenidamente lo que incluimos en ella.**

I'm	=	I am	*yo soy*	*yo estoy*
you're	=	you are	*tú eres*	*tú estás*
			usted es	*usted está*
he's	=	he is	*él es*	*él está*
she's	=	she is	*ella es*	*ella está*
it's	=	it is	*ello es*	*ello está*
we're	=	we are	*nosotros somos*	*nosotros estamos*
you're	=	you are	*ustedes son*	*ustedes están*
they're	=	they are	*ellos son*	*ellos están*
who's	=	who is	*quién es*	

contracciones, pgs. 54,55

A p r e n d a   y   p r a c t i q u e

Le recomendamos que aprenda las expresiones y oraciones incluidas en esta sección. Practique lo aprendido cada día.

Who is he?	*¿Quién es él?*
Who is she?	*¿Quién es ella?*
Who are they?	*¿Quiénes son ellos?*
He is the father.	*Él es el padre.*
She is the mother.	*Ella es la madre.*
They are the parents.	*Ellos son los padres.*
She is the daughter.	*Ella es la hija.*
He is the son.	*Él es el hijo.*
They are the children.	*Ellos son los hijos.*
He is my father.	*Él es mi padre.*
He is your father.	*Él es tu padre.*
	Él es su padre. (de usted)
He is his father.	*Él es su padre. (de él)*
He is her father.	*Él es su padre. (de ella)*
She is your mother.	*Ella es tu madre.*
	Ella es su madre. (de usted)
She is our mother.	*Ella es nuestra madre.*
She is their mother.	*Ella es su madre. (de ellos o ellas)*

Mirando una revista, practique estas expresiones apuntando a las diferentes imágenes o dibujos.

A p u n t e s

En inglés, hay reglas especiales para la conjugación del verbo " (to) be":

Pronombre + verbo "(to) be"		Pronombre + ser o estar		
I	am	*yo*	*soy*	*estoy*
you	are	*tú*	*eres*	*estás*
he	is	*él*	*es*	*está*
she	is	*ella*	*es*	*está*
it	is	*ello*	*es*	*está*
we	are	*nosotros*	*somos*	*estamos*
you	are	*ustedes*	*son*	*están*
they	are	*ellos*	*son*	*están*

El verbo **"(to) be"** significa ser o estar.

La palabra **you** indica a una persona (tú, usted) o a más de una persona (ustedes).

Are se usa con la palabra **you**, ya sea al referirse a una sola persona o a más de una persona.

You are my son.
Tú eres mi hijo.

pronombres personales, pg. 17

You are my family.
Ustedes son mi familia.

¡Recuerde: la palabra **it** (ello) indica únicamente a animales y objetos. Nunca debe utilizarse para referirse a las personas.

It's my dog.
Es mi perro.

Contracciones

Las contracciones del verbo (**to**) **be** son frecuentes en el idioma hablado. Se forman uniendo dos palabras y omitiendo algunas letras. Cuando se escribe una contracción, se coloca un apóstrofo para indicar que faltan letras.

I + am = I'm	you + are = you're
you + are = you're	we + are = we're
he + is = he's	they + are = they're
she + is = she's	it + is = it's

La próxima vez que esté sentado/a en el autobús o esperando en algún lugar, mire a la gente que le rodea y pregúntese, por ejemplo, **who is she?** (¿quién es ella?). Después, intente adivinar la respuesta. Podría ser, por ejemplo, **she is the mother** (ella es la madre).

contracciones, pgs. 54, 55

Cómo presentar a los miembros de la familia

Cuando presente a un familiar, use los modelos de oraciones indicados a continuación.

> This is my brother. His name is Randy.
> *Éste es mi hermano. Se llama Randy.*
>
> This is my cousin, Kristin Allen.
> *Ésta es mi prima, Kristin Allen.*

Al presentar a una persona mayor, se suele ser más formal. Veamos algunos ejemplos.

> This is my mother, Mrs. Brown.
> *Ésta es mi madre, la Sra. Brown.*
> This is my father, Mr. Brown.
> *Éste es mi padre, el Sr. Brown.*

spitting image

Se usa para indicar que una persona es muy parecida a otra.

> — Anne, is Billy your son?
> — Yes. He's the spitting image of my husband!
>
> — *Anne, ¿Billy es tu hijo?*
> — *Sí. ¡Es la viva imagen de mi esposo!*

Éste es el texto completo del diálogo incluido en el video. Usted hará el papel del espectador (**viewer**). Si le hacen una pregunta personal, conteste usando información personal. Tenga en cuenta que las respuestas del espectador que le proporcionamos no son las únicas respuestas correctas.

Una foto de familia

Kathy	How are you?
	¿Cómo estás?

Robert I'm fine. How are you?
Estoy bien. ¿Cómo está usted?

Viewer I'm fine. And you?
(*Usted*) *Estoy bien. ¿Y usted?*

Robert I'm good. This is my uncle and his family. He's my uncle.
She's my aunt and she's my cousin, Samantha.
Estoy bien. Éste es mi tío y su famila. Él es mi tío.
Ella es mi tía y ella es mi prima Samantha.

Kathy Who is he?
¿Quién es él?

Robert Oh, he's my cousin, Derek.
Oh, es mi primo Derek.

Kathy	He is nice looking.
	Es atractivo.
Robert	I guess so.
	Supongo que sí.

Lección

V

Notas

¡Bienvenido a **Aprendamos viajando**!

Acompáñenos a una gira por los Estados Unidos. Conocerá las ciudades y regiones más fascinantes de dicho país mientras aprende inglés.

Aprender un nuevo idioma requiere esfuerzo, compromiso y entusiasmo. Resulta más fácil si se dispone de ciertas herramientas. Usted está aprendiendo a hablar inglés, paso a paso, con Inglés sin Barreras. Cada lección ha sido cuidadosamente planeada y medida. Está aprendiendo palabras, expresiones y oraciones de forma progresiva.

Aprendamos viajando le abre las puertas a otro mundo didáctico. En esta sección, está aprendiendo a oír, escuchar y entender el inglés hablado a un ritmo normal.

Al principio, descubrirá que no puede entender cada palabra. Sólo entenderá lo esencial de lo que oye. Las imágenes le ayudarán. Poco a poco, irá descubriendo que entiende cada vez más y se sorprenderá de lo rápido que mejora su habilidad para comprender el sentido general de los comentarios de cada video.

Le recomendamos que vea varias veces cada sección de **Aprendamos viajando**. De esta forma, aumentará su vocabulario mientras explora con nosotros los lugares más interesantes de los Estados Unidos.

¡Le deseamos un feliz viaje!

Washington, DC is the capital of the United States of America. It is the home of the President of the United States and Congress.

Often called "DC," the District of Columbia, many tourists visit the city each year. They come to visit the parks, Capitol Hill, The Mall, and the many memorials and museums.

Washington, DC is shaped like a rectangle and covers 62 square miles. DC is bordered by the states of Virginia and Maryland. The Potomac River flows along its western and southern borders.

With a population of just over half a million people, the District of Columbia is the only city-state in the United States.

Let's start our tour of DC at Capitol Hill, or "the Hill." In November 1800, the first joint session of the Senate and the House of Representatives was held here.

More than forty presidents have called the White House home. The White House has 132 rooms, along with executive offices. It is also a museum of American antiques.

The Ellipse is the large lawn south of the White House. Important activities are held here for special holidays. The rest of the year, people walk along the tree-lined paths.

*W*ashington, D.C. es la capital de los Estados Unidos de América. Es la ciudad que alberga la residencia del presidente de los Estados Unidos y la sede del Congreso.

Denominada a menudo "DC", es decir, el Distrito de Columbia, la ciudad acoge a muchos turistas cada año. Estos vienen a visitar los parques, el Capitolio, el Mall y un gran número de monumentos y museos.

Washington, D.C. tiene una superficie rectangular de sesenta y dos millas cuadradas y limita con los estados de Virginia y Maryland. El río Potomac corre a lo largo de las fronteras oeste y sur.

Con una población de poco más de medio millón de habitantes, el Distrito de Columbia es la única ciudad-estado de los Estados Unidos.

Vamos a empezar nuestra visita a D.C. en El Capitolio, "Capitol Hill" o "the Hill". La primera sesión conjunta del Senado y de la Cámara de Representantes se celebró aquí en noviembre de 1800.

Más de cuarenta presidentes han residido en la Casa Blanca. La Casa Blanca tiene ciento treinta y dos habitaciones, sin contar las oficinas de los altos funcionarios. Además, es un museo de antigüedades americanas.

La Elipse es el jardín situado al sur de la Casa Blanca. Aquí se celebran actividades de importancia en ocasión de fiestas destacadas. Los demás días, la gente se pasea por las alamedas.

Near the White House is the Reflecting Pool. It is 1/3 of a mile long, 180 feet wide and three feet deep. The Washington Monument and the Lincoln Memorial are at opposite ends of the Pool.

At the west end of the Reflecting Pool is the Lincoln Memorial. As the 16th president, Abraham Lincoln served during the American Civil War. He is famous for the Gettysburg Address.

The magnificent statue of Lincoln is 19-feet high. The Memorial is on the back of a U.S. penny and the five-dollar bill.

At the east end of the Reflecting Pool is the Washington Monument. It is 555 feet tall—the tallest structure in DC. This majestic monument honors the first president of the United States, George Washington.

This monument is a tribute to the third president of the United States, Thomas Jefferson. The Jefferson Memorial has a 19-foot-high statue of Jefferson surrounded by pink and gray marble floors and walls.

Franklin D. Roosevelt was president from 1932 to 1945. He served through the Great Depression and World War II. His memorial features bronze sculptures, fountains and gardens.

One of the most popular memorials in Washington, DC is the Vietnam Veterans Memorial. The names of 58,158 American men and women killed in that war are written on the stone. Many people place flowers in memory of the dead.

El estanque llamado "Reflecting Pool" está cerca de la Casa Blanca. Mide un tercio de milla de longitud, ciento ochenta pies de ancho y tres pies de profundidad. El monumento a Washington y el monumento a Lincoln están situados en lados opuestos del estanque.

El monumento a Lincoln está situado en el lado oeste del estanque. Abraham Lincoln, el decimosexto presidente, ejerció su mandato durante la guerra civil americana. Es famoso por su discurso de Gettysburgh.

La magnífica estatua de Lincoln mide diecinueve pies de altura. El monumento está grabado en las monedas de un centavo y está impreso en los billetes de cinco dólares.

El monumento a Washington está situado en el lado este del estanque. Tiene quinientos cincuenta y cinco pies de altura y es el edificio más alto de Washington, D.C. Este monumento majestuoso rinde homenaje a George Washington, el primer presidente de los Estados Unidos.

Este monumento es un tributo a Thomas Jefferson, el tercer presidente de los Estados Unidos. El monumento a Jefferson es una estatua del presidente Jefferson de diecinueve pies de altura, rodeada de muros y de pisos de mármol gris y rosa.

Franklin D. Roosevelt fue presidente de 1932 a 1945. Cumplió su mandato durante la Gran Depresión y la Segunda Guerra Mundial. Su monumento incluye esculturas de bronce, fuentes y jardines.

Uno de los monumentos más populares de Washington, D.C. es el monumento a los veteranos de la guerra de Vietnam. Los nombres de cincuenta y ocho mil ciento cincuenta y ocho hombres y mujeres norteamericanos que perdieron la vida durante esa guerra están grabados en piedra. Mucha gente lleva flores para honrar la memoria de los fallecidos.

69

Also along the Mall is the famous red sandstone Smithsonian Institution Building, sometimes called the "Castle." The administrative offices of the famous Smithsonian Museum are in the building.

On the west side of the White House is the Old Executive Office Building. Completed in 1888 and recently restored, it has offices for senior-level White House staff.

The Treasury of the United States is located in the Treasury Building. This building took almost thirty-three years to complete because of the American Civil War.

Designed in 1935, the Supreme Court building is noted for its stunning Neo-Classical style. Within this building, the nine justices of the Supreme Court hear cases and make legal decisions.

The largest library in the world, the Library of Congress, has over 100 million items. In addition to its many books, photographs, films, maps, and sheet music, it also has the world's largest collection of comic books.

The most popular museum in Washington, DC is the National Air and Space Museum. The museum contains the Wright Brothers' Flyer, Charles Lindbergh's Spirit of St. Louis, and the Apollo 11 command module, Columbia.

The John F. Kennedy Center for the Performing Arts is host to more than two million people each year. During the year there are classical and jazz festivals, as well as theatrical performances.

El famoso edificio de arenisca roja llamado "Smithsonian Institution Building" o "el castillo", también está en el Mall. Las oficinas administrativas del célebre Museo Smithsonian están instaladas en dicho edificio.

El edificio "Old Executive Office Building" está situado en la zona oeste de la Casa Blanca. Su construcción finalizó en 1888 y se ha restaurado recientemente; dispone de oficinas para los altos funcionarios de la Casa Blanca.

El Tesoro de los Estados Unidos está situado en el edificio del Tesoro. Se tardó casi treinta y tres años en construir este edificio debido a la Guerra Civil Americana.

Diseñado en 1935, el edificio de la Corte Suprema de los Estados Unidos destaca por su impresionante estilo neoclásico. En este edificio, los nueve jueces de la Corte Suprema ven casos y toman decisiones de índole legal.

La Biblioteca del Congreso, la más grande del mundo, tiene más de cien millones de obras. Además de los numerosos libros, fotografías, películas, mapas y partituras de música, esta biblioteca también tiene la mayor colección de cómics del mundo.

El museo más popular de Washington, D.C. es el Museo Aeronáutico Nacional. Dicho museo cuenta con el avión de los hermanos Wright, el avión de Charles Lindbergh llamado "Espíritu de San Luis" y el módulo de control del Apolo 11, el Columbia.

El Centro de Artes Interpretativas John F. Kennedy acoge a más de dos millones de personas cada año. En el transcurso de la temporada, se celebran festivales de música clásica y jazz, además de representaciones teatrales.

Most tourists arrive by airplane, but Washington, DC has a unique train station, Union Station. It was built in the early part of the 20th Century. Union Station provides access to Amtrak trains and the Metro. A wise traveler will use the Metro to explore the nation's capital.

There are many neighborhoods in Washington, DC. Georgetown is a good place to live, shop, eat and study. It is the home of George Washington University.

Not far from Washington, DC is Alexandria, Virginia. Its beautiful Old Town is full of historic buildings and elegant parks. Christ Church was built in 1773. Many presidents have worshipped here, including George Washington.

Arlington, Virginia is the home of the Arlington National Cemetery. More than 250,000 soldiers have been buried here with simple white stones.

The world's largest office building, the Pentagon is also in Arlington. It serves as the headquarters of the Department of Defense.

Washington, DC, and the areas around it, are full of interesting and beautiful sites. Washington, DC is a good place to start a tour of the United States.

La mayoría de los turistas llegan en avión, pero Washington, D.C. dispone de una estación de trenes única, llamada Union Station, que se construyó a principios del siglo veinte. En Union Station, se tiene acceso a la red de metro y de ferrocarriles Amtrak. El turista sensato usará el metro para explorar la capital de la nación.

Hay muchos vecindarios en Washington, D.C. Georgetown es un buen lugar para vivir, ir de compras, comer y estudiar. La Universidad George Washington está situada en Georgetown.

Alexandria, en el estado de Virginia, no está lejos de Washington, D.C. El centro de la ciudad está repleto de edificios históricos y parques de diseño elegante. Christ Church se construyó en 1773. Muchos presidentes, como por ejemplo, George Washington, han asistido a su servicio religioso.

El Cementerio Nacional de Arlington está situado en Arlington, Virginia. Más de doscientos cincuenta mil soldados están enterrados aquí; en sus tumbas, se han colocado sencillas lápidas de piedra blanca.

El Pentágono, el edificio de oficinas más amplio del mundo, también está en Arlington. Alberga el cuartel general del Departamento de Defensa.

Washington, D.C. y sus alrededores están llenos de lugares interesantes y hermosos. Washington, D.C. es un buen lugar para empezar el viaje a los Estados Unidos.

Lección

C

Notas

Introducción

El idioma inglés es más que un conjunto de palabras y reglas gramaticales, y donde más se hace aparente es en el lenguaje hablado. El inglés informal contiene expresiones, vocablos y frases que usted no encontrará en los diccionarios y que, sin embargo, son esenciales para comunicarse. Los modismos ingleses, o **idioms,** como **never mind** o **it's up to you,** pueden generar frustración en el estudiante, que ni los entiende, ni sabe dónde encontrar su significado. Si no logra dominarlos y utilizarlos, su comprensión y manejo del lenguaje serán incompletos y limitados.

Nuestro propósito es enseñarle el inglés de la vida real y cotidiana. El mejor ejemplo de este inglés lo ofrecen las canciones populares, ya que éstas están repletas de modismos, contracciones, abreviaturas y expresiones que sólo se utilizan en el inglés coloquial.

Los temas que contiene **Aprendamos cantando**, representativos de los distintos géneros de la música inglesa, han sido seleccionados por su riqueza en este tipo de expresiones y por su interés lingüístico. Una vez que haya analizado su contenido y haya aprendido a cantarlos, no sólo dominará palabras y frases de uso diario en el inglés hablado, sino que además habrá sacado a relucir el artista que hay en su interior.

A continuación, encontrará algunas sugerencias que le ayudarán a estudiar con estas canciones.

En la primera parte de **Aprendamos cantando** se explicarán las expresiones o frases importantes que aparecen en la canción. Escuche la canción y siga la letra en su pantalla. Hágalo cuantas veces le parezca necesario hasta que entienda y sepa pronunciar todas las palabras. En el manual de cada volumen, encontrará la letra de la canción en inglés y su traducción al español.

Luego, cante las estrofas al mismo tiempo que el cantante. Después de la versión cantada, oirá la canción de nuevo pero esta vez sin la voz del cantante. Por último, cante la canción usted solo, acompañado solamente por la melodía y siguiendo la letra en la pantalla de su televisor. La bolita y el cambio de color de cada estrofa le ayudarán a cantar en sintonía con la música. Las palabras cuyo significado se explica en el manual están escritas en verde.

Es muy simple. Ahora, vamos a divertirnos y a aprender... ¡cantando!

....

as American as apple pie

Tan americano como el pastel de manzanas. Se utiliza para describir a un patriota norteamericano.

— John loves the parades and the fireworks on the 4th of July.
— Yes, he's as American as apple pie.

— *A John le encantan los desfiles y los fuegos artificiales del 4 de julio.*
— *Sí, es más americano que el pastel de manzanas.*

America, the Beautiful

Música

Samuel A. Ward

Letra

Katherine Lee Bates

La música y letra de las canciones se encuentran en los videos. Localice en su video la sección titulada "Aprendamos cantando".

Las personas que viven o frecuentan los Estados Unidos están muy familiarizadas con **America, the Beautiful**. Con excepción del himno nacional, es la canción patriótica más cantada en todo el país. ¡No hay niño norteamericano que no se la sepa!

Al estudiar la letra de esta canción, no se confunda con construcciones arcaicas.

- **Thy** (vuestro) y **thine** (vuestros) son formas anticuadas de decir **your** (tus, sus) y **yours** (tuyos, suyos). **Thee** es una forma anticuada de decir **you** (tú, usted).

- No se desoriente al ver la expresión **O**. Es una exclamación que hoy en día se escribe: **Oh**.

- **'Til** es la forma abreviada de **until** (hasta que). La palabra **till** no es una contracción y significa lo mismo: "hasta que".

Esta canción tiene una gran riqueza de vocabulario. Consulte la traducción en su manual o en un diccionario para averiguar el sentido de las palabras que no entiende.

Una vez que haya aprendido a cantar **America, the Beautiful**, se sentirá realmente parte de la cultura estadounidense.

America, the Beautiful

O beautiful for spacious skies
For amber waves of grain
For purple mountain majesties
Above the fruited plain!

America! America!
God shed His grace on thee
And crown thy good
with brotherhood
From sea to shining sea.

O beautiful for pilgrim feet
Whose stern, impassioned stress
A thoroughfare for freedom beat across the
wilderness!

America! America!
God mend thine every flaw
Confirm thy soul in self-control
Thy liberty in law.

O beautiful for heroes
proved
In liberating strife
Who more than self
their country loved
And mercy more than life!

América, la hermosa

¡Oh, hermosa por cielos espaciosos
Por olas doradas de granos
Por majestuosas montañas color púrpura
Sobre la llanura llena de frutos!

¡América! ¡América!
Que Dios derrame su gracia sobre ti
Y corone tu bondad
con hermandad
De océano a océano radiante.

¡Oh, hermosa por los pies de los peregrinos
Cuyos austeros y apasionados pasos
Un camino abrieron para la libertad
a través del desierto!

¡América! ¡América!
Que Dios repare todos tus defectos
Que confirme tu espíritu de auto control
Y tu libertad en la ley.

¡Oh, hermosa por los héroes que
demostraron
En la lucha liberadora
Que más que a ellos mismos,
amaron a su patria
y a la compasión más que a la vida!

America! America!
May God thy gold refine
'Til all success be nobleness
And every gain divine.

O beautiful for patriot dream
That sees beyond the years
Thine alabaster cities gleam
Undimmed by human tears!
America! America!
God shed His grace on thee
And crown thy good
with brotherhood
From sea to shining sea.

¡América! ¡América!
Que Dios refine tu oro
Hasta que todos tus triunfos sean nobles
Y todo logro divino.

¡Oh, hermosa por el sueño patriota
Que ve más allá de los años,
Tus ciudades de alabastro brillan
Sin empañarse con lágrimas humanas!
¡América! ¡América!
Que Dios derrame su gracia sobre ti
Y corone tu bondad
con hermandad
De océano a océano radiante.

Lección

C

Notas

Introducción

Esta sección del curso, Aprendamos conversando, se ha diseñado para ayudar al estudiante a comprender el inglés hablado sin que sea necesario usar videos, manuales o cuadernos de ejercicios. Le recomendamos que trate de escuchar y hacer las actividades orales de esta sección sin recurrir a la ayuda que le puede dar la parte escrita.

Sin embargo, hemos incluido extractos de todas las lecciones y actividades en los manuales. Dichos extractos le ayudarán a resolver sus dudas y también le permitirán saber cómo se escriben las palabras y frases de Aprendamos conversando.

Actividad 1	***Actividad 1***
Hi.	*Hola.*
Hello.	*Hola.*
Good morning.	*Buenos días.*
Good afternoon.	*Buenas tardes.*
Good evening.	*Buenas noches.*
How are you?	*¿Cómo está usted?*
How are you doing?	*¿Cómo te va?*
How's it going?	*¿Qué tal?*
What's happening?	*¿Qué hay de nuevo?*
. . . .	*. . . . .*
Goodbye.	*Adiós.*
Bye.	*Adiós.*
See you later.	*Hasta luego.*
Later.	*Hasta luego.*
So long.	*Hasta la vista.*
Take care.	*Cuídate.*
See you tomorrow.	*Hasta mañana.*
Good night.	*Buenas noches.*
It was nice talking to you.	*Fue un placer hablar con usted.*

Actividad 2

Hi.	Hello.
Good morning.	Hello.
See you tomorrow.	Goodbye.
Hi! How are you?	Hello.
Good night.	Goodbye.
Good evening.	Hello.
Hi! What's new?	Hello! I'm OK!
Bye.	Goodbye.
Hi! How's it going?	Hello! I'm fine. How are you?
It was nice talking to you.	Goodbye.

. . . .

So long.	Goodbye.

Actividad 2

Hola.	*Hola.*
Buenos días.	*Hola.*
Hasta mañana.	*Adiós.*
¡Hola! ¿Cómo estás?	*Hola.*
Buenas noches.	*Adiós.*
Buenas noches.	*Hola.*
¡Hola! ¿Qué hay de nuevo?	*¡Hola! Estoy bien.*
Adiós.	*Adiós.*
¡Hola! ¿Qué tal?	*¡Hola! Estoy bien. ¿Cómo está usted?*
Fue un placer hablar con usted.	*Adiós.*

. . . .

Hasta la vista.	*Adiós.*

Actividad 3

It's nice to meet you.
Nice to meet you.
It's good to meet you.
Good to meet you.
It's a pleasure to meet you.
A pleasure to meet you.

. . . .

It's nice to meet you, too.
Nice to meet you, too.
It's good to meet you, too.
Good to meet you, too.
A pleasure.
Same here.

Actividad 3

Es un placer conocerla.
Encantada de conocerle.
Es un gusto conocerla.
Gusto en conocerlo.
Es un placer conocerla.
Es un placer conocerlo.

. . . .

Para mí también es un placer conocerla.
Yo también estoy encantada de conocerle.
Para mí también es un gusto conocerla.
Para mí también es un gusto conocerlo.
Es un placer.
Igualmente.

Actividad 4

Where are you from?

I'm from: Argentina.
Chile.
Colombia.
Costa Rica.
Cuba.
El Salvador.
Guatemala.
Mexico.
Nicaragua.
Peru.
Spain.
The United States.
Uruguay.

Actividad 4

¿De dónde es (eres)?

Soy de: *Argentina.*
Chile.
Colombia.
Costa Rica.
Cuba.
El Salvador.
Guatemala.
México.
Nicaragua.
Perú.
España.
Estados Unidos.
Uruguay.

Actividad 5

This is my: mother.
father.
sister.
brother.
son.
daughter.
husband.
wife.
grandmother.
grandfather.
granddaughter.
grandson.
aunt.
uncle.
niece.
nephew.
mother-in-law.
father-in-law.
daughter-in-law.
son-in-law.
sister-in-law.
brother-in-law.

Actividad 5

Ésta(e) es mi: *madre.*
padre.
hermana.
hermano.
hijo.
hija.
esposo.
esposa.
abuela.
abuelo.
nieta.
nieto.
tía.
tío.
sobrina.
sobrino.
suegra.
suegro.
nuera.
yerno.
cuñada.
cuñado.

87

Aprendamos conversando

Actividad 6

1.	brother	sister	7. mother-in-law	father-in-law
2.	father	mother	8. granddaughter	grandson
3.	aunt	uncle	9. uncle	aunt
4.	grandmother	grandfather	10. husband	wife
5.	son	daughter	11. niece	nephew
6.	sister	brother		

Actividad 7 (ver páginas 24, 36, 51 y 61)

Actividad 8

1. Man: This is Kathy.
   Woman: Is she your daughter?
2. Man: This is Robert.
   Woman: Is he your son?
3. Man: This is Amy.
   Woman: Is she your sister?
4. Man: This is Derek.
   Woman: Is he your grandson?
5. Man: This is Karen and this is Leslie.
   Woman: Are they your children?
6. Man: This is Samantha.
   Woman: Is she your aunt?
7. Man: This is Dan and this is Kristin.
   Woman: Are they your parents?
8. Man: This is Tom.
   Woman: Is he your cousin?

Actividad 9

This is Vaneza. She's from Mexico.
This is Ricardo. He's from Colombia.
This is Carmen. She's from Guatemala.
This is Imelda. She's from Nicaragua.
This is Juan. He's from Mexico.
This is Vicente. He's from Cuba.
This is Piño. He's from Spain.
This is Vaneza and Juan. They're from Mexico.

Actividad 6

1.	hermano	hermana	7. suegra	suegro
2.	padre	madre	8. nieta	nieto
3.	tía	tío	9. tío	tía
4.	abuela	abuelo	10. esposo	esposa
5.	hijo	hija	11. sobrina	sobrino
6.	hermana	hermano		

Actividad 7

Actividad 8

1. Hombre: Ésta es Kathy.
   Mujer: ¿Es su hija?
2. Hombre: Éste es Robert.
   Mujer: ¿Es su hijo?
3. Hombre: Ésta es Amy.
   Mujer: ¿Es su hermana?
4. Hombre: Éste es Derek.
   Mujer: ¿Es su nieto?
5. Hombre: Ésta es Karen y ésta es Leslie.
   Mujer: ¿Son sus hijos?
6. Hombre: Ésta es Samantha.
   Mujer: ¿Es su tía?
7. Hombre: Éste es Dan y ésta es Kristin.
   Mujer: ¿Son sus padres?
8. Hombre: Éste es Tom.
   Mujer: ¿Es su primo?

Actividad 9

Ésta es Vaneza. Es de México.
Éste es Ricardo. Es de Colombia.
Ésta es Carmen. Es de Guatemala.
Ésta es Imelda. Es de Nicaragua.
Éste es Juan. Es de México.
Éste es Vicente. Es de Cuba.
Éste es Piño. Es de España.
Éstos son Vaneza y Juan. Son de México.

Actividad 10   (ver página 80)

Actividad 11

beautiful	butter
later	pretty
water	united
better	letter

Actividad 12

1.

Woman:	Good morning. Mr. Walker's office.
Woman 2:	Hello. This is Lori Johanson.
Woman:	Please spell it.
Woman 2:	Lori. L-O-R-I. Johanson. J-O-H-A-N-S-O-N.
Woman:	Please spell it again.
Woman 2:	Lori. L-O-R-I. Johanson. J-O-H-A-N-S-O-N.

2.

Woman:	Good afternoon. Mr. Walker's office.
Man:	Good afternoon. My name is Mark Bowman.
Woman:	Can you spell that, please?
Man:	That's M-A-R-K B-O-W-M-A-N.
Woman:	Please spell it again.
Man:	That's M-A-R-K B-O-W-M-A-N.

3.

Woman:	Hello. This is Mr. Walker's office.
Woman 2:	Hi. This is Andrea Zoblotsky.
Woman:	How do you spell that?
Woman 2:	First name, Andrea. A-N-D-R-E-A. Last name, Zoblotsky. Z-O-B-L-O-T-S-K-Y.

4.

Woman:	Jason Walker's office.
Man:	Hello. This is Stuart Vitale.
Woman:	Please spell that.
Man:	Stuart is S-T-U-A-R-T. Vitale is V-I-T-A-L-E.
Woman:	Please spell it again.
Man:	Stuart is S-T-U-A-R-T. Vitale is V-I-T-A-L-E.

Actividad 10

Actividad 11

hermosa	*mantequilla*
más tarde	*bonita*
agua	*unido*
mejor	*carta*

Actividad 12

1.

Mujer:	*Buenos días. Oficina del Sr. Walker.*
Mujer 2:	*Hola. Soy Lori Johanson.*
Mujer:	*Por favor deletréelo.*
Mujer 2:	*Lori. L-O-H-A-N-S-O-N.*
Mujer:	*Por favor deletréelo de nuevo.*
Mujer 2:	*Lori. L-O-R-I. Johanson. J-O-H-A-N-S-O-N.*

2.

Mujer:	*Buenas tardes. Oficina del Sr. Walker.*
Hombre:	*Buenas tardes. Me llamo Mark Bowman.*
Mujer:	*¿Puede deletrearlo, por favor?*
Hombre:	*Es M-A-R-K B-O-W-M-A-N.*
Mujer:	*Por favor deletréelo de nuevo.*
Hombre:	*Es M-A-R-K B-O-W-M-A-N.*

3.

Mujer:	*Hola. Oficina del Sr. Walker.*
Mujer 2:	*Hola. Soy Andrea Zoblotsky.*
Mujer:	*¿Cómo lo deletrea?*
Mujer 2:	*Mi nombre, Andrea. A-N-D-R-E-A. Mi apellido, Zoblotsky. Z-O-B-L-O-T-S-K-Y.*

4.

Mujer:	*Oficina de Jason Walker.*
Hombre:	*Hola. Soy Stuart Vitale.*
Mujer:	*Por favor deletréelo.*
Hombre:	*Stuart se deletrea S-T-U-A-R-T. Vitale se deletrea V-I-T-A-L-E.*
Mujer:	*Por favor deletréelo de nuevo.*
Hombre:	*Stuart se deletrea S-T-U-A-R-T. Vitale se deletrea V-I-T-A-L-E.*

5.

Woman:	Good afternoon. Jason Walker's office.
Woman 2:	My name's Stephanie Grey.
Woman:	Please spell it.
Woman 2:	S-T-E-P-H-A-N-I-E G-R-E-Y.
Woman:	Please spell it again.
Woman 2:	S-T-E-P-H-A-N-I-E G-R-E-Y.

Actividad 13

Maria: Hi! Welcome! I'm Maria, and this is my husband, Bill.

Bill: It's nice to meet you.

Maria: That's Josh, our son.

Bill: Oh! And here is our daughter, Jennifer.

Jennifer: Nice to meet you.

Bill: My sister, Susan, is here, too.

Maria: And my brother, Roberto, is here with his wife, Linda. And their daughter's name is Ana.

Bill: Maria's parents are here, too. My mother-in-law is Juana.

Maria: And my father's name is Pedro.

Maria: That's my uncle, Antonio. Antonio! Come here, and meet our new friend!

Bill is Maria's husband.
Josh is Maria's son.
Jennifer is Maria's daughter.
Susan is Bill's sister.
Roberto is Maria's brother.
Linda is Roberto's wife.
Ana is Roberto's daughter.
Juana is Bill's mother-in-law.
Pedro is Bill's father-in-law.
Antonio is Maria's uncle.

5.

Mujer:	Buenas tardes. Oficina de Jason Walker.
Mujer 2:	Mi nombre es Stephanie Grey.
Mujer:	Por favor deletréelo.
Mujer 2:	S-T-E-P-H-A-N-I-E G-R-E-Y.
Mujer:	Por favor deletréelo de nuevo.
Mujer 2:	S-T-E-P-H-A-N-I-E G-R-E-Y.

Actividad 13

Maria: ¡Hola! ¡Bienvenido! Soy María y éste es mi esposo, Bill.

Bill: Es un placer conocerle.

Maria: Éste es Josh, nuestro hijo.

Bill: ¡Oh! Y ésta es nuestra hija, Jennifer.

Jennifer: Encantada de conocerlo.

Bill: Mi hermana, Susan, está aquí también.

Maria: Y mi hermano, Roberto, está aquí con su esposa, Linda, y con su hija que se llama Ana.

Bill: Los padres de María también están aquí. Mi suegra es Juana.

Maria: Y mi padre se llama Pedro.

Maria: Éste es mi tío, Antonio. ¡Antonio! ¡Ven aquí a conocer a nuestro nuevo amigo!

Bill es el esposo de María.
Josh es el hijo de María.
Jennifer es la hija de María.
Susan es la hermana de Bill.
Roberto es el hermano de María.
Linda es la esposa de Roberto.
Ana es la hija de Roberto.
Juana es la suegra de Bill.
Pedro es el suegro de Bill.
Antonio es el tío de María.